詩を書くとは、いったいどのような出来事なのか。[illegible]
これからお話しすることは、[illegible]
[illegible]詩とは何か、という問いです。[illegible]
[illegible]

です。このような詩を書いている瞬間、その時の私が詩である、と言えるとしたら、そのまま詩の[illegible]それで[illegible]私が詩である[illegible]という問題を前にしたとき、私たちに自明の事柄を思考してから[illegible]でしょうか。

やはり、詩は言語による表現であって、最も自己言及的能力の高い形式と言えそうです。例えば[illegible]という論理を構[illegible]することは[illegible]のです。だからこそ、[illegible]形式は詩の生成と[illegible]関係が介在するという立場、詩そのものが或る種の関係であるという立場、[illegible]す。脚注に触れると同時に生み出され、瞬間にその生み出された詩自体が開示して何かの刺激を[illegible]

[illegible]動[illegible]自身が[illegible]させていると経験そのものとしている同時的な詩というシステムである。その出来の表現に仕上げるのでは[illegible]私の前に在ったのでしょうか、あるいは[illegible]詩への言明そのものがそこに[illegible]構成し[illegible]経験し[illegible]のでしょうか。[illegible]詩を書く、もしくは[illegible]詩を[illegible]瞬間としての瞬間が開示され、時間的な[illegible]することなのです。

詩については、人は沈黙しなければならない

1.3

　わかる、ことの価値をつり上げる詩行もしくは聯は、なるほど「わかる」し、「わかる」と思える。しかし、そこには価値の問題に詩のありようが落とし込まれてしまう危うさしかない。わかる、わからない、を脳ミソのありようにゆだねることはないにしても、詩のありようの問題系に流しこむことの、不快な、限りなく不快な暴力性。

「道徳」の授業にすれば、とりあえず子どもは「わかる」のだ。ただし、この「わかる」が、限りなく不快であることは、千度言ってもさらに繰り返し言ってもいい。

　わかってもいい、わからなくてもいい、はどちらでもいい。わかるべからず、はあり得るが、わかるべし、は単に不快だ。

　ところが驚いたことに、詩を語るときに、この「わかる」にこだわる言説が、今も垂れ流されている。むろん、まともに相手をする必要はない。まったくない。

ただ、この「わかる」詩にかかわる言説が、今も（そしてたぶんこれからも）生み出されていく、そのカラクリは、とても興味を誘う。

それは、現代詩とは何か、を検討することに連なる問題となる。つまり、「場」の問題だ。

たとえば万葉集なんかを引っ張ってきて、庶民の詩などという（そんなことはもちろんない）。ただ、狭いコミュニティで共有されていた場はあったろうし、その集団では歌々はよく「わか」ったはずだ。今でもある程度、その「場」を想像し、万葉集はよく「わかる」。ところが、後撰集の時代から註釈の歴史は始まっている。万葉集は、よく「わか」らない。なのに、しっかり楽しめる、私たちも。庶民の「心」はわからなくとも。

連歌は、手ぶらで向かうとほとんど「わか」らない。「場」を共有するための鍛錬や、歴々の註釈がなければ太刀打ちできない。註釈で言葉や「場」の意味はある程度見えても、共有はかなりハードルが高い。でも、連歌は私たちにも、充分美しい。「心」ではなく、「姿」を追うからだ。

端的にいうと、現代詩（というものがあったとして）の、現代詩たるゆえんは、「場」を読み手が自由に生み出すことが許される、その特権性を他の言語活動の中においても際立たせた、そこにあると思う。もしくは、そこにしかない。

つまり、現代詩は「わか」り合うことができない。自由気ままに生み出した「場」に共有の余地はない。ただ、その「場」に立っている〈私〉は、その瞬間だけ、確かに愉しい。その瞬間の愉悦が愉悦として「場」たり得る予感が生じ、場合によっては、〈私〉としての多くの人はその詩が愉しい。「場」の問題を「心」の話にすり替えるカラクリ、そこから遙か遠くに詩を眺めている。

詩が「読める」というのは、いったいどのような事態なのだろうか。むろん、ありていに言えば、テクストの快楽、に連なる謂いになる。なるのだけれど、そこに無尽蔵のエネルギーはあるのか、と言えば、いずれ払底する。ハレーション、およびハウリングによる快楽。それがテクストとともにある場合、むしろそれは言葉に実装されている意味を逃れるという機能ゆえに発生しているわけで、その快楽は無限に続くように見える。ところが、快楽が快楽の上を滑り始めるときがやってくる。もしかしたら最初からかもしれない。快楽そのものが完全に一致状態で静止しているように感じる。不安の誕生だ。

快楽は無限に繰り返される。まさにそこにこそ快楽が見いだされ、さらに先へと続いていく。快楽ゆえに繰り返すのか、あるいはその反復が快楽なのか、にわかには決断できない。にもかかわらず快楽が快楽の上で静止するときがやって来て、唐突に不安が生まれていることに気づく。

なぜ、私は不安になるのか。

詩の場合、それは結局、再帰性の問題として語ることができる。ひとつの詩篇を指でたどる。だが、そのあとに残された詩篇は、指でたどる前のそれとほとんど変わらない。つまりよくわからない。もう一度指を這わせたくなる。やはり変化がない。ただ、よくわからない、が少し一度目とは違う（ような気がする）。もう一度指でなぞる。変化なし。まるで初めてたどる道のようだ。何度たどろうが、同じ風景が象を結ばない。愉しい風景の中で風景だけが見えてこない。ところが、ある一瞬、わからない、がわかってくる。私が愉しい風景として身動きできなくなっている。一種の不安である。わからない、がわからないと一致状態で止まってしまう。快楽の死である。そして、そのとき、もっともわからない。ハレーションやハウリングの位相がずれる気配や音がする。次の遠足が計画される。道は再びたどられる。指が詩篇を触り始める。新しい不安が口をあけて待っている。

この再帰性、それと再帰性を起動させる不安のうつりゆき、この過程そのものが、詩が「読める」という事態ですよ。大切なのでもう一度言いますよ。再帰性と再帰性を起動させる不安のうつりゆき、この過程そのものが、詩が「読める」という事態になる。何度眺めても詩がよくわからず、その永遠性に身をゆだねていられるはずだった。はずだった、ということを認識し始める。詩と認識が一致しているように思える。不安だ。しかしその不安はいよいよ変遷していく。その変遷の最中であっても、詩は、容赦なくわからない。不安がこれ以上ないくらいに膨れ上がり、やがてはじける。詩が、一時だが、よくわかる。賢者の心で、その詩を眺め終わる（ところが、いつかまた指でたどってしまうかもしれない）。

快楽とは何か、それは常にその言葉を「読んでいる」最中であるという状態のことだ。そして当然まちがいなく「読み」終わらない。永久運動という全能感。時にそれは静止しているかのようだ。私は不安の中に投げ込まれる。ふと、未だに、「読んでいる」という過剰を発見する。

詩はある種のプログラムに過ぎなくて、誰かが読むと同時に起動する、とする立場があるとしよう。プログラムが走り出した、その走法を見て、私たちは快楽へと連絡される。そのとき、読み手に何かが「伝わ」ったといってよいか。

端末上のアプリを起動させて、そのとき私たちは、何かを「伝え」られたと思っている。果たしてそんなことがあり得るのか。

気象情報アプリを起ち上げよう。まもなく雨雲が上空を覆うだろう。私には、「まもなく雨雲が上空を覆う」という情報が「伝え」られている。果たしてそんなことがあり得るのか。あるよ。当たり前でしょ。しかし、それは単に「伝わる」という形式（というか作法）に則って私がアプリから「読んだ」ということに過ぎないのではないか。気象情報アプリは単なるプログラムで、私がそれをタップしてプログラムを走らせた。そのとき、プログラムは単に走っているだけだ。私はその姿を追って、「まもなく雨雲が上空を覆う」と処理した。私によって初めてプログラムは「情報」としての振る舞いを与えられた。

　気象情報アプリから私には、何一つとして「伝わ」ってはいない。

　詩には、たしかに書き手という主体が想定される。もちろんそれは、書き手という虚構としての主体だろうけど、今はそのことは置く。私という書き手が、一篇の〈花〉の詩を書いた。あなたはその詩篇に目を通す。私は、あなたに何かを「伝え」たのだろうか。あなたはその詩篇から一輪の〈花〉を摘み取ったかもしれない。しかし、あまりにも当たり前のことだが、私が書いた〈花〉と、詩篇の〈花〉と、あなたが摘んだ〈花〉は、あまりにも似ていない。そのはずだ。私からは言うまでもなく、詩篇からも、あなたには、一輪の〈花〉すら、「伝わ」ってはいない。

　私は、一篇の詩を、プログラミングする。私はその作業中、何らかの思いを抱いていたかもしれない。しかし待機中のプログラムは、「私の思い」ではなく、たんにプログラムに過ぎない。言えるのは、せいぜい私がその走り方を仕組んだということだけだ。

　次に、あなたは、一篇の詩を読む。プログラムを起動させたのだ。プログラム通りにそれは走り始めるだろう。ただ、そのとき、あなたは処理をしているはずだ。その走法は、美しい。その走法は、奇妙だ。その走法は、楽しい。などと。しかもそれを起動させたのは、私ではなく、詩篇ではなく、他でもない、あなたそのものだ。
あなたは、あなたの感動を、感動しているだけだ。

1.23

私の感情は、私の詩（私の書いた詩）と、どのような関係があるのだろうか。この問いに対応可能な数式は、たぶんない、とするなら、原理的には両者の関係性は、ほとんど、まったく、存在しないということになる。

私のこの感情と、私の書いた詩とは、無関係である。

でも、関係性がみられない、ということは動かないとしても、関係性性はある、とするのが、もっとも穏当な着地点なんだろうと思う。私の感情と、私の書いた詩は、ひとまず無関係である。それと同時に、私の感情と、私の書いた詩とは、関係のような関係で、即時的に連絡されてしまう、という性質をもっている。誰によってかというと、それは複数の〈私〉によって。

この関係性性は、だから人の気分のように移り気で、客観的な精度はかなり低くみえる。つまり、外れる。といっても正解というものがそもそも存在しえないのだから、外れる、ということ自体も存在しえないのだが、でも、外れる、という現象がよく起こってくる。

念頭にあった私の感情と、私の書いた詩との関係を、人がまったく逆さま（？）に説明していることが、しばしばある。いわばその関係性というものは、何かの関係を、誰に対しても明白な形で浮かび上がらせることができず、にもかかわらず、関係というものはあるんだ、という性質だけを、そこに残す。

だから、人は、一篇の詩を目の前にして、いうなれば好き勝手に「絶望」だの「孤独」だの「悦び」だのとしゃべることができる。もちろん、これは何もこの両者に限った話ではない。ないかもしれないが、この問題を、私の感情と私の書いた詩との関係性を、あれこれ考えるということが、詩とは何か、を考えることと、ほとんどイコールなんだ、ということは、重要視してもいいと思う。

私の立場は、このような関係性というものを、ほとんど認めない。ところが、私が詩を書く時、私の感情が、目の前で書かれつつある詩に対して、大きな影響を与えている、という感覚は、ある。一方、私が人の詩を読むとき、その人の感情とその詩篇とを関係づけることを、意識的にはしようとは思えない（ついついしてしまっていることはあるかもしれない、人間だもの）。関係づけたとき、たいがいはつまらなくなってしまう。

詩が、つまらない、とは、いったいどういうことだろうか。

1.30

詩において、最終行とはいったい何だろうか。というか、そもそも詩に最終行は存在するのだろうか。

むろん、詩に最終行という行はある。様々な事情でその詩行が最終行となったはずだ。書き手が「終わりだ」と判断した、単に時間切れになった、書き手がいなくなった、等々。また、書き手が「終わりだ」と判断した場合も、様々なケースが考えられる。円環が閉じられたという判断、もうお手上げだという判断、閉じないでおこうという判断。

ただ、それらは、詩そのものから遡及して汲み取ることのできない、いわばどうでもいい事情といえば言える。なんなら、その事情は、それを振り返るタイミングや視点によって、いくらでも都合よく変化していくと思う。単純なんだ。書き手の判断というものも、あくまで事後的な物語の一コマに過ぎない。

ところで、最終行は、詩にとってそれなりに大切な場合がけっこうある。最終行でその詩がぐっとせり上がってくるような感覚にとらわれることが、私にはある。たぶん誰にでもある。もちろん最終行によって、俗っぽい言い方をすると、台無しになったこともある。

一つの考え方を言う。そもそも詩には最終行は存在しえない、という原理的な言い方をよく聞くが、本当は、最終行は厳然とあって（当たり前でしょ）、もう一行が浮上してくる可能性が残されている、という言い方をしたい。その可能性を含めてそれを最終行という。私の場合、浮上してくる一行の可能性が残された最終行をよく好むが、でも、その詩を読んで、良い悪いの感想を抱くとき、その辺りの相関性はけっこう曖昧だったりもする。

でも、よく考えると、詩のなかの、任意の一行をみても、次の行と、読み手が可能性のなかで先読みしていた詩行と、大きくずれることがある。これって、最終行のあとのもう一行を予感することと、実はそれほど大きな違いはないことを示している。次の行の予感と実際に書かれてあった行とのズレ感も、読み手による詩の評価にかかわってくる。というか、行と次の行の予感の連続のなかで、私は詩の行を渡っていっている。そして途端に意味もなく（原理的な意味で）詩が終わる。最終行がくる。これが、詩を読む、という出来事なんだろう。ところがこの断絶は、実のところいわゆる最終行以外の行でもけっこう起こっていたりする。予感と断絶と予感。

詩にとって、最終行とは何なのか。これは言い換えれば、詩とは何なのか、という問いに過ぎない、んじゃないですか。予感と断絶と予感。

詩と実存。ほんとうにやっかいな組み合わせだと思う。やっかいなのにその組み合わせが決してなくならないのは、はっきりいっていろいろ便利だからだろう。

目の前に詩が一つある。それは私が書いたものだとする。私という人間の体験とか実存とかが書かせたという。でも、その詩が、私ではない、場合によっては私とはまったく逆さま（？）の体験とか実存を前提とする人によって書かれる可能性が、間違いなくひらかれている。仕事上の悩みを抱えた私が「花がひらく」と書くとき、明日のピクニックを楽しみにしているどこかの誰かが「花がひらく」と書く。私という情報の束から出力されたものは、他の情報の束から出力される可能性とともにある。すべての詩は、誰によっても書かれる可能性の最中にある。どう考えても。百回考えても。

そう、どう考えても原理的に、目の前に並べられた詩行と、（たぶん）それを書いた人の、その存在性、みたいなものはまったく関係がないと言い切っていいはずだ。いいはずなんだけど、そのように発言するために、ある種の勇気が必要になる。

実存というとき、そこには多分に文学臭がただよい、文学というとき、そこには人間性や人間の深淵（！！！）といったような、「人間」というものの全体主義臭が立ちこめてくる。みんな「文学」が好きなんだ。うんざりする。

私たちは日々の暮らしのなかで、様々なことを考え、楽しみ、苦しみ、感じ、そして考える。実存の一丁あがりというわけだ。もちろん私もそのように考え、楽しみ、苦しみ、感じ、そして考えている。毎日毎日、私は私という自己を前提に、わりと平穏に過ごしている。ありがたいことだと思う。どうやら私にも実存というものがある。たとえその私という実存が、システムの過程や結果そのものに過ぎないという考え方を受け入れるとしても、それは揺るがない。人っていい加減なものだからね。

あるいは、詩によって、生き方そのものを揺さぶられる、という経験があるという。それはあるでしょう。私の場合、道に落ちている小石一つにつまずいたため、それまでの生き方を揺さぶられたことがある。その場合、私にとっては、詩も石ころも違いはない。それらは同じように、私という実存に影響を与えた。

一方、石ころはつまらない存在かもしれない。ならば、詩なんかも同じようにつまらない。私は、石を集める特異な趣味を持っている人のように、詩を書いたりして、日々とてもおだやかに暮らしている。

詩が、私の実存と、深く関わっているというのなら、それはそれでいい。それでいいけれど、私にとって大きな意味は、そこにない。詩は、私の人生そのものだが、それは、私の生き方を支えてくれない。くれないから、私を支えてくれている、とも言える。

詩と実存、このどうしようもない組み合わせを、とても便利使いしている人たちが、一定数は存在している。雑誌の座談会なんかで、とくとくと詩について語って有頂天になっている。全能感のなかで恍惚としている。すごいよ、詩は、やっぱり、すばらしい、んだ。僕たちを完全にキメてくれる。

詩は、ほんとうに言葉なんだろうか。詩を語ることは、言葉を語ること、最も言葉を語ること、そういう甘えが、詩に少しでも携わっている者にないか。

言葉を語ることは、詩を語ること、という傲慢が、幅をきかせている。私はそのような傲慢のように、詩について、あまりにも語り過ぎたのかもしれない。

でも、詩から言葉を語ることを取り除くと、神秘主義的な、いうなれば幽霊と詩とを組み合わせる、もっとしんどい傲慢が、幅をきかせる。私はそのような傲慢のように、文字から攻撃されたことがある。一度や二度ではない。

だから、詩は言葉なんだけれど、そこからはじめてしまうことを、一度やめてみてもいいのではないか。詩は言葉である、という過程のなかで、神秘主義的に詩について、少し話をしてみたい、そういうことが時々ある。

言葉について考えてみたい。詩について考えてみたい。それは両端であり、一致である。神秘主義的現象学、そんなところだ。

詩は音楽である。詩は映像である。これらは、これからは文字通りに、ようやく文字通りに、受け取られはじめるかもしれない。詩については、私は、沈黙しなければならない。そして同時に、私は、詩の一行については、具体的に語らなければならない。言葉の一行については、具体的に語らなければならない。その一行は、一行であって、その一行ではない、ということを、あくまでその一行において、語らなければならない。

それは、詩は言葉だということの最中にありながら、なおかつ言葉から逃れる夢を見るということだ。ただし、それも言葉の上で起きる出来事に過ぎない。終わることのない飛散と収斂の繰り返しのなか、手づかみでわずかな一本のリボンをつかみ取る。あわよくば結い上げる。

リボンは美しければその方がいい。ただし、程度の高さからは、目をそむけたい。

2.13

紙に書いたものを眺めていることが、詩になっていく。眺めているのではなく、紙を巻きとっている。髪を？　神を？　それらは、確実に文字が、言葉が、書かれているからこその、髪や神であっただろう。紙は詩ではないのだった。でも、私はその紙に、文字の並んでいる紙に、音楽を受け取る。巻き戻したり早送りしたり、自在に受け取っている。詩は、確実に紙の上に、書かれている。これが、詩を読む、ということだ。

紙に書いているものを、詩を書いている。詩を書いているものを、紙に書いている。このとき、私は、意識の上では、何もしていないかのように、人々に語ることができる。今、この文章を書いているように。これが、詩を書く、ということだ。

それ以上でも、以下でも、ない。

はっきり言って、私以外、誰も詩を書いていない、としばしば思い、立ち止まってしまう。途方に暮れるということだ。私以外の人が、というか人も、詩を書いていると思うという傲慢を、私は許してはいけない。その上ではじめて、私は、人の書いたものを眺めることができる。眺めることが、詩になっていく。私の書かなかった詩を、巻きとってしまう。しかも、そのときも、私は、私以外の誰も、詩なんか書いていないと、空を見上げる。詩は、常に、文字通りに、私とともに在る。それ以外の在り様は存在しない。詩とは、〈私〉のことだ。

〈私〉というのは、もちろん、いつしか消え去ってしまう虚妄に過ぎない。言うまでもなく、それは、私はいつか死ぬ、ということとはまったく関係ない。あなたや彼ら彼女らの〈私〉だ。私が（あなたが）死ななくても、〈私〉はそもそも存在しなかったかもしれないし、私が（あなたが）死んでも、〈私〉は存在し続けるかもしれない。だから、詩は、〈私〉という表象だ。

詩とは、〈私〉のことだ。言い換えれば、詩とは、抒情の起動そのもののことだ。そして、抒情とは、〈私〉の起動そのものでもある。〈私〉と抒情は同時である。それが詩である。紙に文字が並べられていく。それは〈私〉だ。それが〈私〉だったら、その巻きとられた紙は、詩を読まれるだろう。

詩は、私以外の誰にも書かれていない。私と〈私〉の関係性の最中で起こっていることは、あなたと〈私〉との関係性の過程で起こっていることとは、断絶している。私が〈私〉を起動したとき、紙の文字は抒情となり、私は詩を書いている。抒情は、文字通り文字そのものであって、「書く」「読む」ことによって〈私〉を起ち上げ、やがてそれは音楽となる。

おのまとぺとしてのしとしてのおのまとぺ《オノマトペとしての詩としてのオノマトペ》

少し思弁的なラフ・スケッチを一つ。素朴な言語観では、言葉は、事実の抽象化そのものだろう。事実→言葉。もちろん、言葉による世界の分節化があって、そのあとに〈事実〉が生じる、といった議論も可能なのは知っているが、そのような、事後的に、かつ既に、発生していた（いる）〈事実〉においても、「言葉」について検討を加える場合、事実→言葉という関係性は揺るがない。

で、言葉は原初的に音声であった、とするなら、事実の抽象化は、当初すべてオノマトペであったはずだ。ちなみに、オノマトペは事実を具体的に言語化したものではなく、それはどこまでいっても抽象化そのもののようだ。が、いずれにしても、まず言葉があって、そのなかでオノマトペ的な技術が生まれたわけではなく、言葉とはそもそもオノマトペそのもののことだった、と考えてみる。言葉＝オノマトペ。

ちょっと短絡的かもしれないが、書き言葉の誕生によって、その辺りの事情は変わってくる、とする。

音声に頼らずに、文字化することで、事実を抽象化することが、より容易になる。もちろん、既にある言葉そのものをさらに抽象化する作業も可能になってくる。私たちの頭で思い描く、いわゆる抽象的な言葉の誕生だ。たとえば、仮名の普及に伴い、和歌が書かれるものになって、「読み」の文字化でより複雑な掛詞が可能になった。文字を眺めながら作業できるのだ。清音濁音の区別がなかった仮名上の和歌では、「嵐（あらし）」−「あらじ（あらし）」といった、事実の音（読み）を超えた掛詞も生まれた。そんなこんなで、縁語等を駆使したかなり複雑な階層をもった和歌も作られるようになる。

するとそのうちに、言葉はそもそもオノマトペであった、という出自が忘れられていき、いわゆるオノマトペというものが、かなり意識的な言語技術に見えてくる。私たちが通常念頭におく、いわゆるオノマトペの誕生だ。そのとき場合によっては、音韻や韻律を要諦とする詩歌とオノマトペとの親和性が自ずと高く私たちには見えてくることもあるだろうし、実際、実作者や享受者はオノマトペにかなり意識的なかかわり方をしてきたはずだ。

言葉は、今以上に露出された音韻そのものだった、あるいは韻律そのものだった、と考えてみる。でも、いつしか言葉が書かれるようになり、言葉に音韻や韻律がいったん念頭から外された修辞上の要素が加わった、もしくは言葉から韻律的な要素が剥がれていった、としよう。すると言葉が書かれるようになることで、音韻や韻律というものが、わざわざ意識される言語上の問題となり、韻律性の価値というものが、もしかしたら音声言語だけだった時代よりも、かえって重要視されるようになったのかもしれない。

近代以降、〈意味〉の地位が上昇し続けてきても、やっぱり、というか、かえって韻律の重要性は揺るがなくなった。言葉と事実（世界）との間にバグ（矛盾）を発生させる装置としての現代詩や短歌、俳句の実作において、オノマトペは使える修辞の一つととらえられる。いくら朗読されようが、詩は書かれるものになった。書かれた言葉にとって、音韻上の出来事や韻律性もある種のバグととらえられ、使える技術の一つになった。で、その結果、何が起こるか。オノマトペによって音韻上の調整や韻律性を高める作業をしつつ、いつしかオノマトペ的な要素がなくなったように見えはじめた類の言葉（抽象度の高くなったように見える言葉）さえ、たとえば韻律性に従事させるためにオノマトペ化させる、という事態が起こってくる。言葉が原初のようにオノマトペのことになる。

つまりは、言葉は単に韻律に過ぎない。

であるならば、韻律は、端的に、世界の意味化である。たとえば、言葉＝世界の分節化という関数があることは、すなわち韻律＝世界の分節化であることを、はっきりと示している。

韻律は世界への関与である。ただ、関与される世界は、韻律によって分節化されて初めて浮上してくる世界そのものなのであって、つまりはその関与は永久に宙に浮いたままだ。韻律が世界を分節化することによって、世界は私たちと同期し、そして同時に、既に、未だに、韻律は世界を分節化するという関与を始め、終えて、継続し、始めている。

韻律とは世界である。その世界とは、分節化を経て初めて在るというバグそのものであって、だから韻律とはバグである。

だから言葉はバグそのものである。そして、乱れた編み目であるバグは懐の深さ以外の何ものでもない。何でもありだ。あるいは何でもない。そこで言葉は常に、物語や世界あるいは〈私〉の代入を待ち受け始める。もちろん分節化と代入は必ず同時である。

ところが、奇妙なことに、韻律は代入を待っていない。もしかしたら逆に、既に代入された物語や〈私〉から待たれているのかもしれない。歴史や物語、〈私〉は韻律を待っている。言葉の本来性への回帰圧力は簡単に想像できる。

世界は二度分節化される。世界は二度、関与、しかも永久に宙ぶらりんの関与を受ける。

そして、その関与そのものが、詩ではなかったのか。つまり全てが同時であり続けている。

私は、唐突に、「花はひらき」と書き始める。するど、〈花〉は咲かず、匂わず、もちろん散りもせず、はっきりと〈ひらき〉始める。あるいは、〈花〉は〈は〉であり始める。そして私の書記の、もっとも代入を素通りするものは、助詞であり、動詞（あるいは形容詞）である。関与は、述語的な仕掛けによってもたらされている。〈は〉〈ひらき〉が物語の代入を受け入れない理由は、それらが韻律そのものであるからだろう。韻律は、述語的に世界に関与する。

ところがさらに、〈ひらき〉始めるのは、〈花〉なのであって、たとえば〈窓〉では決してなかった。〈花〉は代入を容易に許す部分であったはずだが、何故ともなくそれを許さない時、〈花〉は述語化していると言えてしまう。実は詩ではこういうことがよく起こっている。述語が主語を丸飲みする。

詩は、バグそのものである。言葉によるそれ。韻律によるそれ。それらは分節化による世界への関与によってもたらされる。言葉の場合は代入が表面上のバグを誘発する。代入とはいっても、結局それも分節化の作業工程の中の同時性の一つに過ぎない。

もっともクリアなバグは、述語的な関与であって、それは多分に韻律によるそれとして、詩として、受肉されている。

以上のプロセスを、経たもの、経ているもの、これから経るもの、がその瞬間と瞬間に、詩と、詩であると、言われてはいなかったか。

ところが実は、分節化という関与を経た韻律に物語や〈私〉という言葉が代入されたのが今ではないか。そして更にそこまでを含めた関与が、その記憶を保持したまま述語として時差を生じたとき、その韻律、あるいは言葉といってもいいだろう、その言葉は詩である、つまり抒情である。

2.23

詩とは、結句抒情という機能の駆動そのものを言う。それでは、抒情は言葉そのものみたいだ。ところが、それでも考えてしまうのは、韻律は抒情そのものみたいだ、ということだ。

抒情というのは、〈私〉という束ねられた情報の動きのことだと思える。もちろん情報なんてけっしてスタティックなものではなく（なぜならそういうものは情報ではない）、初めから、動きというものを内包している。その内包したもの自体としての情報、その情報の動き、というものが間違いなく在って、それは抒情にほぼ間違いない。

〈私〉という、当初から動きを孕んだ情報というものが、たとえば〈かなしい〉としよう。たしかに〈かなしい〉なのだが、これは抒情ではない。絶対にない。ところがそこに、動きが生まれ、例えば、〈さびしい〉としよう。〈かなしい〉からその〈さびしい〉までの動き、これが抒情になる。いわば、〈私〉という情報の在り方〈かなしい〉から〈さびしい〉への動き、これが抒情。

でも、それでもそれは、〈私〉というものの内包する動き、に見える。そう見えたとしたら、それは抒情ではなくなってしまう。そうではなくて、〈私〉がそもそも持っていた動き、とは断絶した動き、これがたぶん頻繁に起こっていて、そこにおいて、初めて抒情は、私たちに見えてくる。

それでも、このような説明は、結局説明のための説明になってしまっていて、はっきり言ってピントが外れているかもしれない。〈かなしい〉とか〈さびしい〉とか、設定自体が白々しい。

そこで、私は、その〈私〉という情報の動き、これを韻律と名づけてみたい。この衝動はけっこう褒められてもいいと思う。〈私〉というそもそも動きを含み持った情報が、動き、を見せる。その動きは、いわば世界とのズレ、いわばバグ的な表象をとり、そしてそれを多分に韻律として、私たちは受け取っている。

逆の言いようの方が、通りがいいかもしれない。韻律というのは、〈私〉という情報の動きそのもののことだ、ということ。韻律とは、抒情なのだ、ということ。

でも、実はここまで説明してきたこと、それこそが〈私〉なのだ、という考えに私は魅力を感じている。ついに韻律とは、〈私〉のことだ、になる。

詩とは、〈私〉のことだ、になる。この気持ち悪さ。果たしてそんなことがまかり通るのか。

2.28

私の書いたものは、なぜ今在るようなものでなくてはならなかったのだろうか。他の在り方が、ほんとうは、在り得たのではなかっただろうか。

でも、これは、ほとんど何も言っていないのに等しい。書かれたものの可能性は、どこまでいっても可能性でしかない。可能性の話は、たぶんとても楽しいものになるだろうけど、残念ながら決着はいつも詰まらないところに、安全に、着陸して終わる。ところが、かと言って、今在るような私に書かれた詩行から、偶然性を排除することも同時にできそうにない。なぜかと言うと、書かれた詩行に偶然性の介在しないものは、おそらくないからだ。最大の必然は、何も書かれないことだろうが、何も書かれなかった、ということも一つの偶然に成りおおせることが、できてしまう。

このように、詩において、偶然と可能は、きっと重くて基本的なテーマなんだろうと思う。

私は、たまたま今在るような詩行を書いた。そこには可能性とその詩行の根源性がいつまでもゆらゆらと付随し続ける。もちろん、先にも書いたように、可能性の問題はどこまでもゴールが見えないヴァカンスのようなゲームにしかならないし、詩行の根源性は、そもそも存在しないものを追うクソゲーでしかない。

　他の書かれたかもしれない詩行（もちろんそんなものはないけど）たちの一つの可能性として今在る詩行がなぜ選ばれたのか、という考えのもと、偶然性という座りのいい結論がにょきにょきと詩行の隣に並んでいる。そして、詩行の可能性という問題に終わりがなかった、つまりその問題は無視してもよかった、ちょうどその反対に、詩行は偶然性そのものから永久に逃れることができない。前者は不毛な夢見に終始するのに対し、後者は今在る詩行の存在を一つひとつ浮上させる後退戦（！）をずっと伴わせる。

　詩は、偶然のうちに、静かに起ち上がる。（同時に可能性は完全に閉じられる）

やっかいなのは、ここまで見てくると、どうしても、その詩行の根源性みたいなものを言祝ぐ言説が湧いてくるということだ。どうしても、その詩行に、人間の深淵、孤独、命の灯、というツリー状のプラットフォームを設定したくなる人たちが湧いてくる。可能性が閉じられたからには、そのセカイには（ツリーのトップには）神がいなければならない、ということだ。いないよ、そんなもの。

　私は、何にも支えられずに、偶然、今在るような詩行を書いた。確かにいろいろ感じたり考えたりエンピツを転がしたりした結果、詩行を書いた。でもいずれも偶然。飼っていたペットが死んで、「花はひらく」と書いた、あるいは「花はおちた」と書いた、それだけだ。

では、偶然とはいったい何なのか。それは、私が、その一行を書いた、ということだ。そしてすぐにわかることだが、抒情は多分に偶然性というものに支えられているはずだ。

3.6

詩を書くことで、発動するものがあるのであって、詩を書くことを発動する、つまり、詩を発動するものがあるわけではない。たしかに私は何かきっかけや思いみたいなものやその残滓を保持したまま、詩を書く行為に及んでいる。でも、その保持していたものによって、例えば椅子を蹴ったり、寝転んだり、笑ったり、している。

私が重要視しているのは、詩を書くことによって、発動するものがあって、発動するものこそがあって、例えばそれが今、私のこの文章を書かせている。

詩は結果ではなくて、原因なのだということを、けっこうみんな忘れてしまっている。もしくは見ないふりをして、詩を生み出した原因たる己を自己劇化して、震えている。恍惚として震えている。私も震えることがあるけど、そのことを知っている。

念のために言っておくと、今問題にしたいのは、詩を読むことによって、ということではなく、詩を書くことによって発動するものがある、ということだ。では何が？　それは今私が書いているこの文章が、と答える以外にはない。そこを力技で言語化してみたい。

まず、もともと見てもなかった世界というものを、ほとんど見ていない、ということを意識し始める。世界などそもそもなかった、と言ってしまうような楽な情報処理の話ではなく、また世界の真相が（物自体が）見えてきたといった実存厨の話でもなく、たんに見ていない、という意識が生まれる。同時に、もともと見てもなかったものとはほとんど別のものを、今見ている、という気分が湧いてくる。あくまで気分。まあ、ある種の全能感っぽいですが、そういった視野狭窄めいた現象とも少し違う。

言ってしまえば身も蓋もないが、私が今書いた（書いている）詩行が、詩行そのものが、見えている、という出来事。詩行の言葉を（言葉だけを）見ているが、その言葉の情報処理をしているわけではなく、その言葉の情報そのものを見ている。もちろん言葉はその言葉単独では存在し得ないということを踏まえると、言葉と言葉の調和のようなものは消し飛んで、言葉と言葉の過密かつスカスカな連絡の全体を見ている、ということ。

でも、詩を読むことが発動させるものも間違いなくあって、それはいったい何なのか、というと、実は上記のたんなる追体験ということになる。詩を読む、というのは、詩を書く、というのとイコールだということ。一緒。

3.13

詩を書くことが許されない時というものがある。そして、その時にこそ詩は生まれる。果たして本当にそうか。

個人的な信条の話になってしまう。私は、詩を書くことが許されない時に、その時にこそ詩が生まれる、として詩を書く行為には、強く、及びたくはないと思う。

その時にこそ詩は生まれる、ということを、詩を書くことが許されない時において発生させるのではなく、その当座性において、時熟と忘却を経ることでその当座性をよりその時に近づけながら、詩がいつしか書かれている、ということを願う。

もちろん、これは、詩とは何か、という問題系とはまったく無関係な、いわば立ち話の類に他ならない。善い悪いの話ではなく、単なる事実について、少し述べてしまっただけのことだ。述べてしまったので、もう少し続けたい。

だから、というべきか、当然、というべきか、とにかくそうなると、一篇の詩にはその対価がある方がいいんだ、という考え方にたどり着く。いわば詩の価値づけだ。詩を、価値を越えたところにおく、いわば詩そのものに超越論的位置を与えること、それは結局とりもなおさず、詩を書くことが許されない時にこそ、詩は生まれる、というテーゼの絶対化を強く促してしまう。あるいはそのような行為に至る過程そのものに、気持ちの悪い（かなり気持ちの悪い）甘えの構造を導入してしまう。それが悪いことなのかどうか、それは私は知らない。ただ、そのように、特権的に生み落とされた詩は、端的に、そして必ず、戦意昂揚詩に他ならない、ということだ。

詩に対価が発生しないということが、常態化している。というかそもそも詩に対価があることの方がかなり稀だ。でも、それが、無意味に詩の神秘化を促しているし、そのことは詩がいつでも簡単に戦意昂揚のための装置になれる、ということを示している。

その意味では、詩に対して対価が発生することが少ないこの国で、詩を書くということは、相当に野蛮な行為なのかもしれない。

3.20

心を拾い上げると、詩になっていた。なかなか無視できない言いぶりだけれど、あまり相手にしたくない、そんな気分だけは忘れたくない。基本。

詩については、いろいろな人がいろいろと好き勝手に語っている。それはとてもよいことだと思う。でも、多くの場合、詩について語っているのではなく、単に趣味の話をしているだけだったりする。たぶんほぼ。つまり、多くは、単に詩というものに実装させるガジェットについて触れているに過ぎない。「心」、これが最も取り扱い易く、受け入れ易く、通常誰も反論できない、そんなガジェットだ。詩は、結果的にどのようにみえていようが、「心」を拾い上げたから浮かび上がってきたわけではない。もう少し別の装置が働いて浮上してきたはずだ（これまで既にその辺りのことは少しずつ書いてきた）。「私は、心を拾い上げることで、詩を書いてきた」という。この「心」には、本当はどんな言葉が入ってもいい。例えば「ひらがな」でもいいし、「名前」でもいいし、「景色」でもいい。こういうと、それら（「ひらがな」「名前」「景色」）は多分に心によって紐づけされたものたちではないか、と言い出す人が出てくるが、実はそれはものごとを結果から遡及的風（！）に述べているだけだったりして根本的に間違っている。「ひらがな」「名前」「景色」に紐づけされたものを、例えば「心」と呼んでみた、それだけのことだ。

逆。

「心」の部分に入るのは、「カッコよさ」だったり、「かわいさ」だったり、「ウケ」だったり（もちろん「ひらがな」「名前」「景色」だったり、「音楽」「仕事」「キャラ」「エンピツ」「人形」「テレビ」だったり、なんでもいい）、つまりそれぞれの趣味的なガジェットの取り換えが可能な、いわばゲームに過ぎない。こんな風に言うと、途端に怒り出す人がいるが、まあ、図星であることに変わりはない。

　私は、ある程度一生懸命、心を込めて、詩を書いたりするが、私の、或いは人々の心を拾って書いている、という傲慢さからは、距離を取っている。「おもしろさ」「楽しさ」「美しさ」「絶望」「孤独」「不安」「ガンプラ」「時計」「楽器」「リモコン」、なんでもガジェットとして取り換えが可能であること、これが、詩というゲームの愉楽である限り、心が詩の核心部だとは、到底思えない。思えなくて仕方がない。思えなさ過ぎて仕方がない。

　そして、とは言うものの、私も「心」というガジェットを装填して、詩を書いて楽しむ、それくらいの嗜みはできるのだから、詩は懐が深い。みんな、もっと詩を書こうよ。

3.27

詩語というものがある。かつて歌に歌ことばがあった。それぞれの歌ことばが、掛詞、縁語、見立て等のギミックによって起動し、王朝の言語空間内で連絡したり捩じれたり重層化したりしつつ複雑なネットワークが浮上し、歌に抒情性が生まれる。いや、本当はそのような仕掛けのハブとなるような言葉が歌ことばと呼ばれる、と言った方が正しい。

詩語というものがある。現代詩（そんなものがほんとうにあるんだとしよう）においても、基本的には王朝和歌（中世和歌）同様、歌ことば（詩語）が存在するはずだし、私は常にそのことを意識しながら言葉を弄んでいると言いたい、詩を書いていると言いたい。

でも、詩語というものがあり、それが圧力であったり、深淵さの演出であったり、そんなことのために使役されている、派手な、深そうな、孤独そうな、主に漢字二字で構成される、ゴミのような言葉のことを指すことがある。

もちろん、言葉なんて使役されてしかるべきなのだが、使役しておきながら、使役されている言葉にある種の神秘性をまとわせようとする姿勢、いや姿勢なんかどうでもいい、そのまとわせようとすることでようやく「これは詩である」と押し付けてくるような文字列、この気の遠くなるくらいの言葉の通じなさみたいなものに、人々は（少なくとも私は）呆れかえるしかない。得意顔で駆使している人にはまともな議論はできない。

詩には必ず詩語がある。原理的にそれは否定できない。冷蔵庫に貼られたただの書付であっても、私がある日それを眺めて、ああこれは詩だ、と感じたら、それはそのとき詩語がその中で働いているからに他ならない。つまり言葉と言葉が複雑な網目状で連絡、反響を重ね、意味や文脈が多重的になる、これが詩が詩であることの最低ラインであるとしたなら、ハブとなるような、あるいはギミックの起点となるような、そのような詩語があるはずだ、ということだ。

だから、詩について述べるときに、詩語というタームはわざわざ使うようなものではない、ということになる。そもそも詩語が詩の条件だったからだ。

何のために、というところから屹立しているのだから、これは詩なんだ、という言い方をそろそろ聞かないようになりたい。正解過ぎて、閉じられ、結局何も言っていない、そんな言説に少し疲れた（ここではそんなことばかりしているかもしれない）。

なぜ、私は詩を書くのか。よく言われる１００個ほどの、あってもなくても誰も困らない解答（例えば、人々とひとつになりたい、例えば、魂の叫び）は普通に横にどけておく。一つは、間違いなく、人に読んでほしい。この場合、人は私を含む。ただ、それはいわゆる詩でなくても大丈夫だ。なぜ、私は詩を書くのか。必要もないのに、私はさっきも一つ詩を書いた。なぜか。

それは、言葉という最高に複雑で、最高に意味不明で、最速でアップデートされ、最高に可能な、そんなシステムが目の前に広がっているからだ。数式の美しさや楽しさにそれは近いかもしれないけれど、抽象の見え方といったものが両者を分けている。言葉は具体性を実装した抽象のシステムで、あらゆる関数がいつまでも無限に作成可能で、その関数によって生じる機能や像も、あらかじめ予測することがなかなかできそうにない。元手がほぼゼロの、この難易度と自由度の高いオープンワールド系ゲームをプレイしない手はない。

更に、そこで作られた詩は、当たり前だが、さっきまで家族や同僚と共有していたコミュニケーションシステムとまったく同じOSを使用しているために、詩であったはずのものが、通常のコミュニケーションの文脈に乗って更なる憶測や出来事を世界内に生み出す可能性を持っている。これが愉楽でなくて、いったい何が愉楽といえようか。（ここで、何が詩で、何がそうでないか、については触れない。既にこの場で何回か言及している。）

もちろん、いろいろな基準で、それらの詩の、出来不出来という結果が生まれる。負けがあるから楽しい、ということになるけど、その勝敗が試合後に簡単にひっくり返ることもあって、なかなか油断できない。いわば、出来不出来など原理的に存在していない。詩を書いている瞬間（そしてもちろん詩を読んでいる瞬間）の愉楽、それは楽しかったりしんどかったり気持ちよかったりする、ここに賭するゲームのライブ感と中毒性。煎じ詰めればそれだけの話だったりする。

なぜ詩を書くのか。そこに言葉があるからだ。

ああ、これはあのコード進行に乗って書かれた詩だな、と思う。多くは3コードで作られている。詩にコードは、間違いなくある。言葉にコードがあるのと同じように。

いや、そのコードを破壊したところから詩は始まるのだろう、という。それはそうかもしれないけど、言えばそれも一つの意匠（コード）に過ぎなかったりする。

卵が先かニワトリが先か、みたいな話になるが、世界はコードで出来ている。ただ、コードこそが世界のバグではないか、と言いたくもなる。コードが世界を制作するのか、世界をコード化するのか。はい、これはそれぞれの「世界」という言葉の位相がそもそも異なっている、ということだとも言え、つまりは双方ともに正しい。認識としての世界。事実性としての世界（これ実は語義矛盾かもしれない）。

だから、詩を作る立場に引き寄せて検討すると、コードとはそもそも世界のバグ化だ、ということになり、つまりはそのコード進行に乗った言葉は圧倒的に詩に違いないということになる。むろん圧倒的に言葉に違いないと言っても同じことだ。

話を戻す。コード進行というものがある。その時点で詩の下地は整備されているわけだが、私はそのコード進行というものをきちんと意識下に置いて言葉を紡いでいきたい。気がついたらこれはあのコード進行だった、ということはできるだけ避けたい。では、コード進行というものを意識下に置くにはどうするかといえば、私はコード進行そのものをできるだけ意識下には置かずに演奏するように心がけている。ちょっと言い方が下手くそになったが、コード進行というものは意識下に置きつつ、コード進行自体は意識の外（そんなものは実はないのだけど、便宜的にそう言っておく）に放り出しておく、ということが言いたかった。

これは言い換えると、言葉によって世界が制作されていることを認識しつつ、その取扱説明書を破棄した上で世界生成の過程に身をゆだねたい、ということになる。ここに来てこんなことを言うのもあれだが、世界は存在しているだけでバグなのであって（はい、ここで「世界」という言葉の位相がブレ始める！）、言葉を使えばそれはいつでも必ず詩になってしまう。その事実はしっかり視界にとらえながら、それでも私はその生成（制作）過程こそが詩ではないか、というところに賭けてみたい気がする。

安易ないわゆる「言語破壊」的なパフォーマンス＝バグという等式の無効性をしっかり押さえた上で、私は次のような望みを持つ。コード進行そのものになることによって、コード進行を透明化し、詩をバグそのものとして風景化したい、と。それは、たぶん抒情。

4.18

現実と非現実の境界を私はどう生きているのだろうか。詩を書くとき、きっと付きまとってくることだ。唯名論か実在論か、というのとは少し違う、でも、あまり違わないかもしれない、そんなことを考えている。

端的に、少なくとも詩に書かれている「内容」は、現実ではない、くらいのことはすぐに言える。ただ、すぐに言えてしまう類のことは、だいたい疑わしいので、そうなってくるとすぐに、「書かれているという現実」という横やりが入るが、それはもういい。私は、詩を書いているときの、認識の話をしたい。

詩を書いているときに、そういえば雨上がりで、窓に雨粒がすがっている、と思う。詩の言葉が、詩行が、刻まれる。これは現実が詩という非現実の領域に侵入した、ということになる。ところが、それはそうなんだけど、それでも、詩の方が現実に流れ込み、現実が詩行として立ち始めた、そんな認識に近いところで私は、詩でもなく、現実の窓でもなく、そしてそのどちらにも、足を掛けている。もちろん、この世界そのものが詩なんだ、と嘯いているわけではありません。決してそういう話をしているわけではありません。

ここらで、「現実」という言葉の定義づけを行えば、議論がスマートになるのは分かっているのに、私は、それはしたいとは思えない。それをしてしまうと、おそらくもっとも私の言いたいことが言えなくなってしまう予感がする。それは誰も止められない。

詩を書いているとき、私はどこにいるのか、ということを私は知りたい。本当に私は現実に実在するのか、あるいは、本当に私は非現実の世界に手を出しているのか。実はどちらの問いも問いそのものが間違っていて、それは煎じ詰めれば、どちらも言葉という私が生きているという、同じゴールしか用意されていない。そしてそれは、どこにいるのか、という問いに答えたことにはならない。そうなんです、境界というものが、そもそも存在し得なかった、という、それだけの話に落ち着いてしまう。

私は現実を立てているし、そこから零れる、あるいはそこを侵す、そういう領域を立てている。そしてそれらはいとも簡単にひっくり返るし、瞬間瞬間常に入れ替わり続けている。詩を書いているとき、事実としてどういうことが起こっているかは知らないけど、認識としては、私は、その止まることのあり得ない現実と非現実の永続的な入れ替わり（反復？　多重化？）を、その時間を、止めているのではないか。もちろん、現実の一コマを切りとった、みたいなことを言っているのではありません。断じてありません。私は境界線を跨いでいるという姿勢を取りつつ、内実は境界を浮かび上がらせている時間を止めているだけだった、ということではないか。（境界を浮かび上がらせている空間、という言い方ができないのは、現実と非現実を同期させるという考えが、現時点で私にはまだ疑わしいから。少なくとも言葉とは時間のことだから。言葉において多重化という認識は、あくまで時間におけるそれでなければいけないと現時点では思う。）

詩を書くとは、時間を止めることであり、それによって私は、一般的なコモンセンスを一時的に喪失している。にもかかわらずプラットフォーム（言葉）は微動だにせず駆動している。時間は動いているのに止まっている。時間は止まっているのに動いている。私は詩を書いていて、それから書いていない。詩を書いていなくて、それから書いている。

4.24

詩に、人間がいない。詩に、今の社会がない。人はなぜこのようなことを繰り返し言うのだろうか。詩に、何があるのだろうか。詩に、何かがあるべきなのだろうか。

例えば、私は次のように、強い言葉を発することができる。詩に、人間がいないからこそ、それは詩である。あるいは、詩に、今の社会がないからこそ、それは詩である。たしかにこれは揺るがせないある種の力だが、それにしてもそれはいとも簡単にひっくり返ってしまう。ひっくり返るからそれは力なのだが、でも、私は結局何も発していなかったことになる。

詩に、人間がいない、今の社会がない、と言うとき、多分にそれは批判的ポジションを取る。発言者の思考がひどく弱いからだ。あまり考えたくないが、おそらくほとんどの場合、それはマウンティングといった類に連なる動機がほの見える。つまり決定的に弱い思考でしかない。（詩に、どうしても、人間や今の社会を読み取ろうとする弱い思考は、その弱さゆえに言説がマッチョ化し、結局眼差しが、社会的な意味で弱いところに注がれなくなる。いわば振る舞いと実践が気持ち悪い連結の仕方をしてしまう。）そして、残念ながら、詩は、強い思考と深い結びつきが根源的にあって、だからこそ、そこには、人間も、今の社会も、簡単に融解してしまう。言えば消滅してしまう。いや、そもそも存在しない。弱い思考には、それが決定的に見えない。そしてときに、今の詩が空っぽだと言い始める。本当の困難はここにある。詩は、たしかに、空っぽだからだ。

実は、詩に、人間がいない、今の社会がない、という言いぐさは、批判としては単なる張りぼての筋肉でしかないとしても、詩の、そのものを言い当てている。そもそもそんなものはないからだ。一ミリもないからだ。そして。

そして、詩は、あらゆるイデオロギーを支えているのとまったく同じ言葉（プラットフォーム）によって結構されているのにもかかわらず、あらゆるイデオロギーからもっとも遠く離れてしまっている。もちろん、そういう事態そのものも常に何らかのイデオロギーに連絡され回収され続けるわけだが、それと同じ速度でぐんぐんと飛散していく。

詩に、人間がいないからこそ、人間についての思考に流し込むことができる。詩に、今の社会がないからこそ、今の社会についての思考に流し込むことができる。もちろんそれは可能性であって、別にそれらに流し込む必要はない。必要もない。

詩の構造についての覚え書き。文字は、言葉は、当初は面として広がり、あるいは収縮し、それから同時に立体画像として、膨張し、あるいは収縮し、やがて同時に一つの点、いわゆる原点へと迫り出し、あるいは沈み込んでいく。初めから何も存在しなかったし、終わりにいたるまで何も存在しなかった。いや、終わりにいたってから何も存在しなかったし、初めへ向かって何も存在し始めていなかった。

いったん閉じられた扉は、にもかかわらず扉の向こう側という意味を、限ることなくたたえてしまうが、開かれた扉は、にもかかわらずすべての意味を奪い去る。いわゆる現実が意味を覆いつくすからだ。現実に覆いつくされた痕跡にこそ、私たちは通常の意味を生き始める。ところが、それらが、尽きることなく意味を消し去っていくことは、とても重要だ。文字は、言葉は、はたして、閉じられた扉なのか、それとも、開かれた扉なのか。

文字は、言葉は、常にその扉の裏側に付着している蛾の卵のようなものだ。文字は、言葉は、現実そのものであり、そして現実たりえない。卵が羽化していることを、私たちはきっと知ることはできない。そもそも羽化するのか。そして蛾は美しさの蛾そのものであるのか。美しさはないのか。夜、ひらひらと乱舞する一つの架空と実感。扉の裏側でその可能性の可能を蠢動しながら泰然としている。そして驚くべきことに、私たちは、扉の裏側という目を生きている。ところがそもそも、扉の表側などなかったのではないか。あるいは、その扉とは、文字そして言葉そのものであった。喩がよくない。文字そして言葉は、その蛾でしかなかった。

もちろん、蛾は美しさの喩ではない。詩は、私たちには決して見えない美しさであって、しかしそれを生じさせるのは、他でもない私たちでしかない。蛾は、私たちの目にぴったりと貼りついて永劫の瞬間も消えることはない。乱舞と羽化が常に同時でしかない、これが文字であり、言葉である。詩の原点はそこで息をし始める、し終える。にもかかわらず、私たちは詩については、何も語り得ない。

蛾については、日々その辺の軒先で新種が発見されている。

言葉、文字は、いったいどのような事実なのだろうか。さらに、言葉、文字抜きの事実とは、いったいどのような事実なのだろうか。

言葉、文字は、いったいどのような身体なのだろうか。さらに、言葉、文字抜きの身体とは、いったいどのような身体なのだろうか。

詩は、いったいどのような事実なのだろうか。さらに、詩以外の事実とは、いったいどのような事実なのだろうか。

詩は、いったいどのような身体なのだろうか。さらに、詩以外の身体とは、いったいどのような身体なのだろうか。

詩において、このような問いを伸ばしている、その事実性ゆえに、詩は事実であり、その身体性ゆえに、詩は身体である、という結語までの距離を静かに埋めていく。この過程が問いへの固い応答そのものだろう、という目測は今も起っている。つまり、言葉、文字がなければ、詩がなければ、問いそのものが完全に隠されてしまい、事実や身体は宙吊り状態で私たちにはまったく見えない。ドラマが始まらないのだ。実はそれだけで、言葉、文字におかない、詩におかない、そのような事実や身体は、夢想すら許されない。想起されないものは、存在しない。けれど、それは本当か、という永遠がそこではゆっくりと流れている。

言葉、詩、ではない瞬間や位置は、浮上しえない。ここで重要なのは、そのような瞬間や位置は存在しえない、という瞬間や位置を想うという侵犯はけっして許されないということだ。言葉、詩、ではない瞬間や位置は、ずっと沈んだままだ。すべての事実や身体は、必ず、詩において浮かび上がっている。言うのも恥ずかしいが、事実や身体があって、それは巧妙に隠されていて、それを発見するのが詩である、という心の問題は、どのような無理を強いても成り立ちえない、ということは何度も繰り返して言う。ことさらに言うことに耳まで赤くしながら。

あらゆる瞬間や位置、つまり球面や球体の隅々まで、余すことなく言葉であって、詩である。ただしこれはあまりにも比喩的な表現で、精確にいうと、詩は球面であり球体である、ということだ。

さて、フォーカスをぐっと絞ろう。作品としての詩とは、いったいどのような事実であり、身体であるのか。例えばそれは、私が書いた文字の選択、詩の一行一行の並び方、流れ方、その事実性、身体性以外ではないもの、と言う。

詩については、結句、関係である、としか言いようがない。これは当たり前のことで、新聞記事の一行が詩であったりなかったりするのはそういう事情による。でも、これは単なる口当たりのいい言い方に過ぎない恐れがある。詩とは関係である、という結語は、その一行が詩であるその在り方の内にだけ表れている関係そのものが詩を詩たらしめている、ということを示しているはずだった。

詩は、現実や真実を映す鏡ではない、というのは静かな人間なら誰でも知っている類の話だ。なぜならそれは関係ではないからだ。詩が表象された言葉でありながら、言葉が表象された詩であるという関係、という言い方に寄り添ってみたい。詩という関係を解きほぐす言説の中に既に詩という語句が入り込んでいる、というその在り方もしくは関係。

そしてそこには一切の秘密がない。なぜならそこにはそこに書かれてあるように書いてあり、その書いてある言葉自体がそのプログラム言語そのものでしかなく、それは常に私たちに開示されているからだ。ここで二通りの考え方で生まれてくる。一つは、文字そのものが詩である、という考え方。この場合、詩はプログラム言語それ自体ということになる。二つ目は、表象の在り方が詩である、というものだ。この場合は、詩はプログラムそのものということになる。ただし、詩・言葉が表象された詩・言葉であったことを思い合わせると、この2つは同じことを言っているようにも見えてくる。ここに一切の秘密がありそうだ。

表象とプログラム。ここで起こっていることは、「AとB」と書くことが、同時に「A＝B」をも書いていることになるという事実だ。むろん逆も然り。ただし、（表象とプログラム）＝（表象＝プログラム）、にもかかわらず、「表象＝プログラム」と書き終わってしまうことには大きな躊躇いがつきまとう。AとBはイコールで結ばれているが、イコールというわけではない。

詩とは、一個のプログラムのことであり、同時にプログラムであるということが表象され始めており、表象されているもの自体がプログラムそのものである、という出来事。それを関係と言うしかないのは事実で、私は、詩とは関係である、と言っているのかもしれない。

つまり、詩については、沈黙しなければならない。

5.22

詩の韻律は関係であるのか。先に言っておくと、韻律は現実や世界の鏡ではない。さらにハートビートですらない。韻律が世界を分節化する。それはとりもなおさず、世界を意味化することだった。世界を表象すると言ってもいい。表象といっても、それは隠れて存在していたものを陽の当たるところに引きずり出したということではない。表象はすなわち在るということでしかない。言えば、韻律とは、関係の編み目に浮上する〈私〉を走らせるプラットフォームのことかもしれない。また、言葉と韻律はイコールで結ばれると考えてはいけないという理由、それが発見できない以上、すでに言葉が関係のゲームであるように、韻律とは関係である、と言える。関係というプラットフォーム。

きちんと整列させよう。韻律を伴わない言葉は存在しない。韻律を伴わない文字は存在しない。韻律を伴わないプログラム言語は存在しない。言葉から韻律を排除することは完全に不可能でしかない。つまり、韻律とは言葉である、という等式こそが、目の前で起動していてもいい前提ではないのか。ただの光の混線や響きの消耗戦、そこに韻律はない。もちろん、そもそもただの光の混線や響きの消耗戦自体がそこになかったのは言うまでもないが、論理的に在ったとして、そこにやはり韻律はない。韻律が存在して初めて混沌は在ったことになる。世界は分節化されることで初めて原初は混沌で在ったことが可能になる。

　韻律はどこに表れるのだろうか。言いやすいのは、〈私〉において韻律は世界や〈私〉を表象する、ということだが、どこか方便めいてくるのは否めない。そうすると、韻律は表れではなく、関係でしかないのではないか、という当為が、あたかも〈私〉のゆりかごのようだ。関係は抒情を孕む、しかもどうしようもなく関係と同時的に孕むのだ。

　詩の韻律と言うとき、このように韻律のフォーカスを絞ったとき、抽出されるものに詩の原点を見出したいというのは、私たちの夢かもしれない。でもそれは残念ながらどこまでいっても夢でしかないだろう。ことさらに詩である、と言うとき、関係というものの、あるいはそのような基盤の、それ自体の韻律化という、決死の跳躍が、そこにはあるのかもしれない。そして恐ろしいことに、それすらもただの関係でしかないだろうという予感は、きっと的中してしまう。

結局、詩は関係であったが、稠密なダイアグラムの、遠目には混線に見える色の濃くなっている部分、ここに私たちは詩を感じるのかもしれない。あるいは編み目のほとんど存在しないかのごとき殺伐とした緩さに詩を感じるのかもしれない。ときには精確無比なマトリックスの整列に詩を感じるのかもしれない。永遠に続くかに見える一本の細い線上に詩を、黒々とした深い面上に詩を、私たちは感じるのかもしれない。点かもしれない。虚点。そしてそれらすべてが韻律としての刻みや揺れのイメージとぴったり重なっている。言葉といってもいい。

さて、詩を感じるのはいったいどのような存在なのか。私（たち）とはいったい何なのか。結論はとっくに出ているはずの、つまり私とは言葉であり韻律である、という当為の、無限に定まらないイメージを、その私たちはどのように繰り出していけば、自信をもって詩をとらえることができる、と言っていいのだろうか。

贈与がすべての始まりだろう。詩は、関係としての詩は、私によって読み取られるものではない。詩が、贈与される、そのプロセスのどこかの一点において、おもむろに〈私〉(たち)は起ち上がる。詩が贈与されることで初めて、〈私〉(たち)は分節化され表象される。〈私〉とは、詩の贈与それ自体である、と言ってしまいたい。

詩は、なぜ贈与されるのか。その質問は成立しない。詩は、贈与され、誰かに(私に)読み取られたかのごとき状況において、ようやく詩であるからだ。贈与のないところに詩は存在しない。そして同時にそこに〈私〉(たち)は起動し得ない。ビッグバンのない宇宙は存在しない。

私はそれらプロセスの一点において、詩を読み込み、完全に同時に詩を走らせる。走り始めた詩は、またどこかの一点において誰かに(私に)読み取られる。初めに詩が在ったのでもなく、初めに〈私〉が在ったのでもなく、贈与のみが初めから在った。ところが贈与のみが初めから在ったわけでもなく、つまりは〈私〉と詩は一斉に起動し続けている。

これを関係と呼ぶ。関係はまちがいなく全てが一斉に在って、いうなれば贈与される。そして同時に〈私〉が在り、詩が在る。

6.5

さながら海に浮かぶ水滴、しかも、あの時の、あの場所の、あの、水滴をその海からすくい上げることのほとんど絶望的な、そのような作業もしくは思索。つまり、詩とは何か、にかかずらうこと。にもかかわらず、詩は心、詩は現実の鏡、詩は言葉、詩は私、とたやすく言表することの野蛮性には、ときおり人は目をつむる。私も散々目を閉じてきた。ただ、目を閉じることは、そのまま沈黙へと連なる、その端緒にはなる。充分になる。

そして、私たちが語ることのできる海は、触れることのできる海は、言葉だけだから、言葉における海から、その水滴をすくい上げることになる。言葉のないところに海はない。どうしてもない。つまり、言葉という〈私〉だけが作業に従事し、思索し、海から水滴をすくい上げる。〈私〉が言葉から言葉をすくい上げる。〈私〉が言葉から、あの言葉、をすくい上げる。

あの言葉。そう誰もが知っているあの言葉のことだ。知っているが、すくい上げることは、おそらくない。永遠にない。そう思っておいてよい。

一方で、詩は厳然とあり、あるいは、あるように振る舞い、私は退屈な午後に詩を読んだりしている。多くはつまらない詩だが、それは私が退屈だからであるが、私は詩を読んでいる。また、私は退屈な午後に詩を書いたりしている。もちろん退屈な詩を書いている。私は退屈している。とても楽しい。

この退屈さは、いったいどこから到来するのかというと、それは、詩にかからずらうことから到来する。人は退屈になると詩にかかずらう。たとえば、みんなが大好きな、危機的状況において詩にかかずらう時間帯、その人は必ず退屈している。なぜなら詩にかかずらっているからだ。そして、その退屈にすら退屈しはじめたころ、人は、詩とは何か、という退屈に見舞われる。

海に浮かぶ水滴、それは沖合のどこかで渡り鳥が瞳から落とした一滴、それをすくい上げるという退屈さ。これは、たぶん楽しい、そして気持ち悪い言い方をすると、たぶん豊かな、そんな時間の中の私そのもの、言葉そのものに過ぎず、海はだいたいにおいて凪いでいる。

ところで、私は海がそれほど好きではなかったのを、今思い出した。

6.13

ところが詩には、きっと意味がつきまとう。非意味的なテクストであっても、非の裏側にはずっと意味が走り続けている。文字がやり玉に挙げられることになる。安直な仕草として、「言葉なんか覚えるんじゃなかった」とか言い出す始末だ。この効率主義の極北に位置する「言葉なんか覚えるんじゃなかった」という言い草は、それでも可哀想に、詩を支える役回りとして使役される。永遠に。私は、言葉である。

言葉、言葉、とやかましいことだろう。では、でなければ、私が、ここに立っていることの根拠を誰か与えてほしい。もちろんそんなものは存在しないわけで、私は、言葉である。

言葉以前性にこだわるパフォーマーたちは、〈私〉の解体した地点を言祝ぎはじめるが、これも生憎、〈私〉が視座を定めて、静かに、そして執拗に、眺めているばかりである。パフォーマーたちは、もっとも〈私〉そのものの瞬間のなかで、ようやく息をしている。私は、言葉である。

そんななか、誰にとっても確からしいものは、やはり時間ということになる。言葉は、常に時間として存在する。少し前から私は、空間詩篇や球体詩篇といった試みに打ち込んでいるが、現前は時間に過ぎない。たとえばレイアウトは一見、空間の問題とみなされがちだが、どう考えてもそれは、時間の問題に収斂されてしまう。レイアウトに凝った詩篇で、その成否を分かつのは、空間処理の巧みさではなく、結局それは時間の処理がうまくできているかできていないかの問題に尽きてしまう。

一つ間違いなく言えるのは、連歌連句の、ゲームとしての完成度と美しさ、愉しさにしくものが、脱文字化の世相では望むべくもないということだ。さらにひどいことに、言葉はただ単に、朗読されるしかない、それしか能のない、硬さにつき進んでいくだけになってしまった。あるいは、連想ゲームで事足りる骨粗鬆症的な見栄え主義。ところが、このときこそ、確実に言葉は時間そのもののみであろうとする。というかある。そして、同時に決定的なのは、時間は言葉でしかないので、私は時間である。朗読される詩に残されているのは、貧弱なイメージと、大切な時間でしかなく、時間であるかぎり、私は、言葉である。

新しい詩というものがあるとして、それは文字が滅びると同時に書かれはじめる言葉であるはずだ。そしてそれを私は生きている間に見ることはない。

6.20

文字が、言葉が、折り紙のようだったら、と夢想することは、誰にでもある。あるか、そんなことは知らない。ただ、言葉は展開されると、具体的なイメージをほとんど保てなくなる。像が極度に抽象化されてしまう。展開され折り線だけが残された正方形の紙を眺めて、そこからツルを直観するのは、かなり困難を伴う。しかし、これが言葉である。

具象化への接近は、折りたたむという身体運動によって進んでいく。いわば肉体運動ともいうべき圧力がなければならない。ところが、事態をより複雑にするのは、この圧力の過程そのものも即座に（同時に）言葉へと展開されていく。いうところの即身である。即身とは、この具象と抽象の同時的反復運動のことをいう。

つまりは、すべては言葉に過ぎない。私たちは日々、せっせと折り紙を折っている。文字は展開された折り紙の折り線のような一つの直観、それのもっとも明瞭な姿に過ぎない。私たちは日々、せっせと折り線に従って、同時に折り線をつけながら、またその折り線に従って、言葉という時間を折りあげていく。そして時間を空間的に処理するといった誤りの海に飛び込んでいく。もちろん折り線は、位置に付けられるわけではなく、時間は空間ではない。だから、折り紙というのは、これまた一つの具象化に過ぎないのであって、私はのっけから誤りに加担している。私たちは時間でしか存在しない。空間は、いわば折られた折り紙というイメージである。

それを念頭に置いたうえで、言葉は展開と折り線の更新と具象的浮上によって、一羽のツルへと「たたまれ」ている、と言える。私の目の前に一羽の折り鶴がある。そしてそれは、徹頭徹尾、言葉である。たとえ一秒でも言葉でなかった瞬間は存在しない。

私たちは、折られた折り紙をみて、これはツルだ、と言う。それはそれでいい。これはこれで詩だと言ってもよい。しかし、詩は、ツルを、展開されたときに生じる（残されている）折り線として、言うこと（書くこと）そのもののことである。普通は、折り鶴は、詩ではない。それが詩である場合が許容されるとしたら、そこには多重の展開図がとっくに、そして密かに、積み上げられているからに他ならない。

詩は、言葉は、折り紙の展開された後に残る折り線であり、しかもそれは時間として即身である。

6.26

書く理由がほとんど見当たらなくなったところから、初めて詩は書かれ始める。というのも、書く理由は、書かれる前から既に書かれているため、書かれ始めることができない。すべての根拠を封じることが私たちには必要だ。そして、同時に、書くことの向かう目的をも必ず見失わなければならない。詩は、けっして、今を照らすものであってはならないし、人を救ってはならない。いや、この、ならない、という断定も認めがたい。そのような位置に、初めて、詩は、在る。在り始める。

その位置というのは、すなわち、時間である。時間は、どの瞬間も（この言い方が正しいかどうか、今は問わない）常に推移である。時間は、流れる、ことはない。比喩的な意味でも、流れる、ことはない。流れるものは、時間ではない。時間とは、フラッシュバックされる推移の、状態そのものである。流れ、には、源流、根拠が生じ、それは、時間ではなく、たとえて言うなら空間だ。そして、流れはいずれ河口、目的へとたどり着く。そう、たどり着くのだ。これも空間に過ぎない。

一方、推移は、円環である。もちろんこの比喩は、あまりにも空間的過ぎるが、広がりがない分、まだしもだ。ずっと続いている。ずっと繰り返されている。ずっと。そう、詩とは、この、ずっと、だと言ってもいい。ずっと、なのだから、その詩が書かれなければならなかった理由などないし、その詩が目指すべき目的など発生するはずもない。この現代に書かれなければならなかった詩、などといった言い方は、ほんとうにまずい。この詩は今こそ書かれなければならなかった、などといった言い方は、ほんとうにまずい。かなり悪質な部類に属する言説だ、と私が言っても、きっと許される。

ところが、結果的に、詩で、今の何かが救われたり、今の何かが言い当てられていたりすることがある。もちろん、それも、そのように後知恵で糊付けしたファッションに過ぎないが、それでも、だから、私が書いた詩が、現代にこそ書かれるものだ、と言われたとしても、それは一つの見識として、幅を利かせてしまってもいい。なぜなら、それは発泡スチロールの張りぼてだからだ。

今も、私の書いた詩が、どこかで、役立っていることだろう。

物語の長さというものを、私は知らない。なぜなら、物語とは、長さそのものではないからだ。そして、物語が本当にあるとしたなら、物語はそのまま、詩として私たちの目の前に横たわっている。今までずっと、そうだったはずだ。

詩において、言葉は、一つひとつの言葉は、いわゆる物語のように、大きく振幅する瞬間であり続けている。言葉はパズルのように幾通りも組み合わせることができるが、そして言葉はほとんどモノでしかないが、それでもたっぷりと蠢動し続けている、私たちが一つの焦点を断念せざるを得ない、いわばそれは、物語のようではないか。

プロット、という考えは、ここで厳に退けておこう。詩について、詩を巡らせるためには、物語は、その長さを失う。私たちはとても便利な語句を手にしていたのだった。それは、まさしく小説だろう。小説の中で、言葉が私を食い込ませてくるのは、たしかに詩についての、私を巡る瞬間と、とても似た意識の在り様をしている。そうは思わないだろうか。端的にいうと、私はモノでしかないが、それでもたっぷりと蠢動し続けている、私たちが一つの私を断念せざるを得ない、いわばそれは、詩のようではないか。

私は、私の身体や思い出を、言葉によって解析したいと、言葉だけによって解析したいと、ずっと願い続けてこなかったか。いつか失語したとき、私は言葉そのものとして内側に（外側に）捲れ込んでぶら下がっているはずだ、と思うくらいには、願い続けてきた。解析によって、かえって言葉が前景化する当たり前の世界が到来したら、人間は技術によって、簡単に人間を作ることができるようになる。つまり、人間とは、既に言われているように、単に私たちの発明でしかなかった。

言葉を紡ぐという。これ以上の表現はちょっと思い浮かばない。つまり、世界は、私は、解きほぐしていかねばならない。それも、ただ言葉によって。小説と詩の区別はほとんど消滅している。私は、生きている、という架空を、詩として（小説として）、解析し、分解し、折り重ね、ずらし、失念し、朝になったら窓の外を見る。

というのも、既に私は、詩を書いてしまった。

7.11

私の書いた詩が、誰かに、読まれる。そのようなことが、詩に、本当に起こり得るのだろうか。一方で、私は、詩を、読んだことが、果たしてあったのだろうか。詩を書くことと、詩を読むこと、その結節点においてのみ、起こっている出来事を、この目で見てみたい。

詩は、自ずと、私たちの目の前に現れるわけではない。もし、そのように言う人たちがいるとしたなら、私は、その人たちの肩をそっとたたかなければならない。詩は、私たちの目の前に、いつしか現象しているわけではない。私は、詩を、書く。私は、詩を、読む。書くことと読むことの癒着した部分に目を向ける。そこに絶えず、私は、関与している。詩は、自然や宇宙では、決してない。詩は、強いて言うとすれば、私である。

ただ、私、は、言葉の最中にしか、現れることはない。つまり、詩は、言葉である。

さて、私は、詩を、書いた。詩は、誰にとって、読まれるものであるのだろうか。そのような問いは、ところが一瞬たりとも、問いであることができない。詩は、私、以外に、読まれることは、決してないことは、とっくに知っているからだ。

また、私は、詩を、読んだ。詩は、誰によって、書かれるものであるのだろうか。そのような問いは、なおも一瞬たりと、問いであることができない。詩は、私、以外に、書かれることは、決してないことは、とうに知っているからだ。

言葉は、言葉、を書く。言葉は、言葉、を読む。詩についての検討は、ここからしか、始めることができない。

詩を書くことと、詩を読むことの、その結節点において、言葉は、ようやく、言葉として現れている。私は、ようやく、私として現れている。言葉という出来事に支えられるようにして、言葉は詩であるし、私である。その、ある、という現象、そのプリズム状の現象、それを指呼すると、書く、もしくは、読む、となるかもしれないし、私は詩を書いている、私は詩を読んでいる。

詩は、自ずと現れるわけではない。言葉という出来事の、そのハレーションが、詩として、私の前に、ときにちらつく。そのハウリングが、詩として、私の前に、ときにつんざく。そう、言葉は在るわけではない。言葉は、出来事、として、起こっている最中、でしかない。ここに、私は、いない。ここに、私は、出来し続けている。

言葉という出来事は、どうしてプリズム状態であるのか。言葉は、意味を塗りつぶし続けることを知ればいい。

表明というものを、することがある。書記者が生きているとするなら、あるいは、生きていたとするなら、きっと、することがある。私は表明している。私たちは表明している。

詩は、言葉は、表明だろうか。まず、表明は、詩（言葉）ではない。これは動かない。ただ、詩は、表明ではないのだろうか。私は、私の書記するすべてが、表明のように消えていくのを思わないわけにはいかない。意味内容を見殺しにしたその痕跡に、おそらく表明という事態がたゆたっている。私は、表明していたのだ。

多くの場合、私はこの記事を、詩との連続性の中で書き、あるいは、連続性を担保しつつ詩へと雪崩れ込んでいく。雪のように私は詩と共にある。いずれ、今、まさに書かれつつあるこの記事も、詩である、と言い始める私がいないとは、いないとはとても言えない。私は、表明していたのだ。

私は、日本語を使って、使ってしか、ほとんど、詩を書くことができてこなかった。私にとって、詩を書くとは、日本語を徹底的に微細に永久に抱き尽くすということになるが、その過程において、そこでこそ、初めて詩は起ち上がる。では、日本語とは、表明だろうか。しかしながら、私は、どうやらすでに表明してきたようだった。私が日本語を使用する限りにおいて、私は表明と表裏の関係にあり続ける。そうして、詩は、私から、母語としての日本語を奪い続けているとも言える。因果である。

私の詩が、在る、ということが、すなわち、一つの表明以上でも以下でもないのは、誰の直観によって支えられているのか。ここが、まさに詩が、関係、であることの、動かなさをよく示しているのだろうが、私は、これまでいったい何を表明してきたのか、と恐ろしくなる。しかも、それは、単なる遊びでしかない。もちろん、私が詩を書いているにもかかわらず、それは関係におけるゲーム（遊び）ということで、私はそのルールをいつまでも追い求めているだけなのかもしれない。そして、そうこうしている間にも、私は、陸続として表明の最中にあり続けている。

詩人。これがすべての誤解と悪用と劣化の根っこにある、一つの現象だ。詩、もしくは詩を書く人間の神聖化、神秘化。あるいは、詩を書くことがそのまま精神性の深さ（！）という溜飲の下げ方がまかり通ってしまう。

あまりに愚かなことだった。言うと、詩人なんてそんな気持ちの悪いものは存在しないし、もし存在すると言い張る人がいるのなら、そんなものは今すぐいなくなればいいと言うだけだ。あまりにも愚かだ。

この場所で、ここまで少しずつ気ままに書いてきた。にもかかわらず、この期に及んで、まだ、私はそのようなことを書かねばならない。詩人というものの神秘という理屈、これと同様の理屈が現実をむしばんでいる。気は確かか、と言うのが、私の役割になってはいけないはずだったのに、私はそのように書いている。

詩を書く人は、単に、言葉の選択と配列、それだけを行っている（それだけを行うことを行える）人間であるだけなのに、詩人として神秘化を促し、挙句の果ては自己劇化にすら手をそめる始末で、気が重い。詩はこの現代社会において何ができるか、という下劣さに、さすがに渋い顔をする人たちもそれなりに存在していて、それは、まあ、いいでしょう。詩は、いったん消えればいい。

ロジックが、どこでもかしこでも力を執拗に保持し続ける。世紀の茶番劇に耳目が、たまには正常に機能してくれることを祈る。

つまらないことを書いてきた。あと少し、この場所に書くことを課して空を眺めて息をしていきたい。それは願いに近い。

詩がつまらないのではない。つまらない詩が詩ではないだけだ。つまらないのは、単に技術が足りない。人間として愚劣であっても、技術が詩を支えてくれる。真っ黒い目で深い海を見据えているような人であっても、技術がなければ何を書いても詩にはならない。なれない。愚劣な人間にはなりたくないし、技術のない人にもなりたくない。当たり前の思いを、ことさらに言わないで済む世界線に溶け込んでいきたい。

消し去りたい。

言葉から意味が、さっと流れ去ったとき、初めて言葉は時間として、その姿をちらつかせる。あるいは、初めて言葉は韻律つまり調べをたたえる。ただし、これは文字通りの比喩でしかない。

時間とは、私の刻々の姿であって、それ以上の働きも以下の働きもない。そして、私とは、言葉であるのだから、言葉は、常に刻々の断絶を印象づけることになる。

意味は、単に言葉の色つやでしかない。いわゆる意味は、関係の中での、スタンド（幽波紋）のようなもので、実際のそれは、単に色つやでしかない。言葉と言葉、の色つやは、グラデーション状にうつろうことはなく、突然に、その色つやが、そこに在る、ことになる。関係という分節の結果だ。その絶対同時的過程こそが、時間であり、私である。私は、瞬間の王、である。私は、関係という時間、である。

ところが、言葉の姿には、一方で、きちんと連絡があり、私は、私、や、私、とやり取りごっこができてしまう。日本語を使用する者どうしは、互いにスタンド使いとして、言葉の意味を認識している、という設定が、成り立っている。どうしてだろうか。私は、私、と、私、の関係そのものだから、ということか。

日本語という私のおばけが実在してしまっている。

韻律は、色つやの効果のように、言葉そのものである。そもそも言葉は、オノマトペであって、〈私〉は、常にオノマトペとして、〈私〉、である。いわゆる意味も、オノマトペからようやく浮かび上がってくるように見えるはずだった。概念上の意味も、生まれた瞬間にオノマトペとしての私に回収されてしまう。

オノマトペは、関係の調べ、であるに違いないので、韻律とは、〈私〉という関係の調べであって、それ以上の働きも以下の働きもない。そして、〈私〉とは、言葉であるのだから、言葉は、関係において、常に流れを印象づけることになる。時間は決して流れないのに、言葉は流れ続ける。言葉だけが、つまり〈私〉だけが、韻律をもたらす。そして、韻律（＝オノマトペ）が、意味のオリジナルであるということ、韻律という流れに、私、や、私、は乗っかっているということから、日本語という私が、関係の中で共感しつつ、互いに意味をやり取りすることを可能にしている。韻律という流れが、日本語そのものだった、ということになる。

日本語という私のおばけは、韻律としてとっくに実在していた。

と、この抜けのない飛躍とトートロジーにおいてこそ、詩は、語られている。

8.8

詩は、言葉の祝祭なのか。祝祭は縮減でもあり、祝祭は肥大でもある。消滅でもあり、出現でもある。詩は、祝祭である。

詩は、祝祭ではない。もちろん呪いでもない。ただし、呪言としての瞬間、それと連絡、塗り重ね、見落とし、これを詩とするならば、祝祭が詩である。

言葉は、世界を制作するし、機動させもする。その制作、機動、この瞬間に、言葉はいったいどのような仕組みであったか、という部分に、私は詩を知ることになる。それらは、おそらく、めでたく、苦しく、そして、何もない。何もないのだ。それが詩だ。

そういった意味では、詩は、祝祭である、としたいところだが、よくよく考えると、それはメタ認知による、ある種のさかしらに過ぎないことがすぐわかる。もちろんそんなものは成立できない。詩は、メタ認知ではあっても、メタ認知でとらえるわけにはいかないからだ。できたとしたら、それはやはり詩であって、さらなるメタ認知を招来する。不可能という手打ちしかない。

詩については、人は沈黙しなければならない。

で、祝祭について。詩は、あくまで、仕組みそのものであって、現象ではない、とする。何もないのだ。ならば、詩は、やはり、どうしても、祝祭ではない。私たちは、祝祭に、ぼんやりと詩を感じる。驚いたことに、本当にそんなことをする。愚かなことだ。詩は、単にシステムでしかないのに。

そして仕組み（システム）は、その機動の最中にしか存在（持続）せず、客観的に一覧表のような視点で眺め直すわけにはいかない。先に言った。

人麻呂は祝祭の詩人であったが、祝祭など眼中になかっただろう。彼は、言葉の仕組みの不可視領域の探究に没頭し、没入し、言葉を組み立てていった。つまり、人麻呂は、言葉の技術だけを頼りに宮廷社会を生き延びていった。

詩は、現象に支えられているわけではない。詩は、単にシステムだ。もちろん、現象を表す言葉がシステムに内包されることはあっても、現象による言葉は、ない。そして、言葉という現象もない。少なくとも、私たちは知り得ない。先に言った。そして、システムこそを祝祭と呼ぶのならば、詩は祝祭である。

8.14

書くことを止める、終える、ということが可能なのかどうか、について考えてみたい。これをもって詩を書くという行為一切を途絶する、といった場合、その人は、それでは今まで詩を書いていた、と確信をもって言えるのだろうか。あるいは反対に、今後、詩ではないものだけを書き続ける、ということが本当にできるのだろうか。

せいぜい言えるのは、詩の公表及び詩集制作を行わない、といった程度のことだ。ただし、それは詩を書く行為の終了とは限らない。詩は、いつまでも私に付着して、私と同時に滅びる日まで、私として起ち上がり続ける。そして、それは私の意識、認識とはほとんど無関係に継続する。詩は、私を私たらしめる。

では、詩とは何か、となるわけだが、ここでは触れない。詩とは私だ、と言って片づけてきた今までだったのに、私はこの場所で詩を語り過ぎている。自己語りほどさもしいものはこの世に存在しない。

詩は、私の、鏡ではない。が、詩は、私の、位置でしか存在しない。つまり、一切の意味については、詩は一切の関心を示さない。というか、詩は、一切の意味について、認識できない。私は私を認識できない、というレベルにおいて、詩は、認識とは同時ではけっしてない。詩、を、言葉、と置き換えても一緒だ。私は、なるほど、言葉を使用して意味や内容を語るが、それは言葉そのもの、つまり詩ではない。もちろんそれは私について語られている言葉という落とし穴ですらない。

だから、どうやって、私は、詩を止める、ということが可能なのか、という疑問は、既に疑問にすら一瞬たりともなれない。

さて、その上で、だ。私は、私の書いた詩が読まれることを拒絶すること、について真剣に考えてきた。公表しなければいいだけの話だが、実は、私において詩は必ず読まれ続けてきた。公表を経て詩に起こることと、それは何ら違いがない、ということに最近気づいた。私は、私の書いた詩を、読むことを運命づけられている。当たり前だが、私が他者の書いた詩を読むときにも、同じことが起こっている、と言いたい。私が、例えば詩集を編むことを止めたとしても、私は、私が、詩を読んでいる未来があてどもなく伸びていく。ならば、である。詩集は、もうこれ以上、制作される理由は、どこにもないのではないか。

初めから私たちは、ゴールに立っていた。

8.21

どんなものでも詩になってしまう。ところが、詩であるか否か、に関しては作り手の側の問題として、どうしても処理されることが多い。誰もが、だ。ところがさらに、よく知られたことだが、詩は、どうしても、関係、そして原因でしかない。実は、作り手の側に、詩であるか否か、の判断要素は全然ない。

もちろん、優れた詩集を作った書き手の少なからずが、そのかみの凡評に反応した結果、その後毒にも薬にもならない本しか出せなくなった例はある。今もこの手の事例には事欠かない。しかしこれもつまりは、結果から、毒にも薬にもならない、という判断が働いたに過ぎない。

言葉の選択と配列、あるいは韻律上の仕掛け。その言葉が置かれた地の状態や地との関係。言葉を目にしている者と言葉との関係。すべて関係だ。そして、多くは関係によって詩たり得るわけだから、どんなものでも詩になってしまうかもしれない。

なっていけないわけがあるだろうか。ないといえばない。にしても、やはり、ここには問題がないはずがない。というのは、私が、どう努力してみても、それは詩とは認められない、というケースがある。ときに流通している詩集中にすら当たり前のように転がっている。そして、このことすらも、言葉と私の関係の問題に収斂されていく。

このノートに書いてきたことは、要はそういうことになってしまう。さびしいことだ。

詩については、人は沈黙しなければならない。そうだろう。しかし、だからこそ。

詩については、私は沈黙することができない。これまでに書いてきたこととは別の意味で、詩とは私である。私は、詩の制作を、止めることはできない。私が言葉である以上は。そして、詩が私であるからには、私の詩が詩集として編まれる必然性は、初めから決まっていたように存在しない。

私は、私の詩集を私の書棚に据え置くことさえを、ようやく認めることができる。それが、私が、詩を書き続けるための、細い路としておく。

私とは、いったい誰のことなのか。

さて、私は、私の書いた詩を、どこまで私が書いた、と考えて差し支えないのだろうか。一文字たりとも私の書いたものはない。配列においても、私が配したと言い切っていいものは見当たらない。よって韻律上の仕掛けも私が仕組んだと言いたくない。さらに言葉に挿入される物語間の複雑化も、からの多層化も、私が手を下したはずがない。たとえばそれらを、私の名のもとにある場所に提出すること、その一点をもって、私が書いた、と決め打ちすることになる。

提示こそが、私が私の詩を、私が書いた、と断言させ得る藪となる。言えば、私が示さなければ、それはどこにも示されなかった、というわけだ。しかし、それは、たぶん、本当ではない。私の提示したものは、既に、そして未だ、提示の最中にある。私はその中から、何度もいろいろな場所に、詩を、提示し始める、もしくはし終えているだけの存在に過ぎない。

私が、これは詩とは呼びたくない、と考えたとき、上記の存在すら存在させないための制度として、制度としてしか、私たり得ない、ということをよくよく知っておかねばならない。私が詩を疎外することになる。そして、詩を内包することになる。詩において、私は制度たり得るという沼へと溶けてゆく。

近頃、肉体を持っている者の、書いた、とされる詩を読めなくなっている。もちろん単なるタイミングの問題に違いないけれど、私は、再び肉体ではない者の、書いた、とされる詩に深沈している。それも、実はどちらでも同じことで、私は結局、詩の後景に肉体を嫌悪している、といったタイプの私モードの只中の私であるのだろう。

考えることは、詩を作り出すこと、であるのだが、そこには肉体という、思考を超えた何ものもないと同時に、肉体を持ってしまっている、というわけのわからない存在感が、豊かさと結びついてしまう。これが苦しいし、本当にバカらしい。

私は機械でしかないにもかかわらず、そのような幻想に生きてしまう。脳髄の仕掛けでしかないにもかかわらず、そのような幻想に生きてしまう。そして、驚いたことに、その上において、詩が、書かれている。私が、詩を、書いている。誰が仕掛けたかもしれない罠に、私の名において、私が場所に提出している、その私を鏡越しに見ている者がいて、私に違いない。

8.28

彫琢はそのままイデオロギーとなる。イデオロギーが言葉を配置するわけではない。ただし、それは、私が身につけた衣服に皺が生じる、その程度の問題に過ぎない。私の詩は、自ずとイデオロギーを孕むのだろうが、そして私の抱いていると思い込んでいるイデオロギーが私の詩へと移ろったわけではないのだろうが、私の詩はそもそも制作と同時にイデオロギーとともに存在している。にもかかわらず、私の手作業が、それだけが、詩への道ゆきとなる。

ところが、いわゆる王道は、そうなっていないことがあまりに多い。苦しみに満ちた空虚な歴史しか刻んでこられなかった現代の詩だ。手作業や仕組みこそが、詩を支えている、詩そのものであるにもかかわらず。今も日々、書き手のイデオロギーのみが価値として語られている。私はイデオロギーについて語るのは好きだが、イデオロギーで詩を語る人たちを軽蔑してやまない。

遠く、私の景色から見えなくなっていくだろう。

技術の研鑽の歴史だったはずだ。私は、それを忘れまいと思う。その気風を負うのみだ。そして、その中で埋没していくことにだけ、私の詩に、悦びが積み上がっていくはずだ。詩の筆を折ることは、死ぬまでそんな時は訪れないだろうが、人間性の威嚇の前に、私が佇むことはおそらくない。人は、どこまでいっても技術でしかないのだから、人間性の威嚇から、私は通りを三つほど隔てて歩きたい。

弱い思考の人は、亜絶望が大好きだ。亜絶望が詩を、詩人（！）を支えていると信じ切っている。幸せなことだ。ただ、悲しいことに、その人の作った詩も、それが詩だとするならば、単に技術によって編み上げられている。地球が太陽の周りをぐるぐる廻っているのと同じくらい明白なことだ。その明白なことすら、見たくない。そこに価値を見る。余りにもさもしい。

私は、絶望の最中にいる、のかもしれない。ところが、その絶望すら、私の技術が生み出した成果なのかもしれない。研磨していくだけだ。

8.30

生きて身体を持っていることが、私の人生訓とそのまま言い習わされる。これ以上の苦痛はないし、妙なことに身体を失った瞬間に私には人生訓だけが残される。人間性という化物だ。

詩は、言葉である以上、人間性は仕掛けの一つとして機能しているし、それを見越して私は生きてきた。詩に、人間が、どうしても必要だと言うのだ。人間という訓告が。

ところが、詩は、ほとんどの場合、それが詩ならば、よくわからないまま放置される運命だけを背負っている。人生訓がきれいに消えてしまっているのだろう。すると、そこに人間がいない、と言う。その通りなのだが、その通りのことを言って戦っているというのは、心の底から言葉ではなくなってほしいと思わせる。

一方で、詩は、もはや身体である。身体論のほとんどが、詩にみえる。ただし、だ。そこから人間の熱き血潮がほとばしるような、そのような狭量は、詩では決して存在しない。なぜなら、私たちの身体のほとんどが、血の通っていない地帯で占められているからだ。人間性という非人間的（！）制度によって、詩はかえってきらきらしてみえているらしい。

詩を書く時、私は身体そのものであり、身体を詩として、言葉として、私は生きている。そこに倫理の息づく隙間は、ほとんど残されていない。それだけが倫理だ。比喩的に言えば、韻律だけが生きている感を支えている。身体とは韻律のことだ。

さて、私は、明日、世界が滅亡する、と知ったならば、死の瞬間に向かって詩を書くというあさましさだけは回避する。一切の詩を書かないだろう。ところが、私がそれでも詩を書いている、という世界線とそれは、完全に一致してしまうに違いない。どうしてかというと、詩が書かれない瞬間を、人は、コンマ一秒も、想起する能力を備えていないからだ。つまり、人は、単に、言葉に過ぎない。

すべては、言葉の上で起こったことだ。あなたも。私も。

9.1

アレゴリーというのは文字のことで、文字は言葉のアレゴリーと言った方が通りがいいかもしれない。そのことについて真剣に考える時間が欲しいが、私の生涯ではとても足りない。またその任に耐え得ない。

こんな世界になってしまった、という感慨だけが日々を彩っている。無関係な言葉を並べて愉快に暮らしている。そして、そこにこそアレゴリーが潜んでいる。もちろん、私はそのことをけっして認めようとはしない。私が認めてしまえば、それはメタファーに墜ちてしまう。表層的な観測だけで気象予報ができるほど、たぶんこの世は愚直ではない。生きている実感が欲しければ、死についてただただ検討し続ければいいだけの話だし、そんなこととは没交渉に、私は、生きてしまう。その私が、同時に死を孕みつつ言葉を紡ぐ。死んでしまった私が書いた言葉と、まったく同じ語句、配列、のセンテンスすらあるだろう。

つまり、私が書いた言葉について、私は、見たことも聞いたこともない、そういった記憶が、私に言葉を、詩を、書かせている、とは考えられないか。そして、その詩は、言葉は、とっくに人によって、何度も何度も書かれてきた言葉そのものでしかない。私は何度も死に、何度も生きている。この認知こそが、私そのものとして、街を歩いている。

アレゴリーとは、そのような言葉の性質の、永遠の点のような、表象のことだろう。詩が意味を帯びてしまうそのずっと手前に、表面に、アレゴリーが佇んでいる。私はときに、それに、そっと手を添えて拠りかかっていたりする。それでいて、私は詩を書いている、と思っている。さもしいことだ。おまえの絶望や苦悩など、ただのメタファーに過ぎないんだよ。

ペラペラの紙だけの、小さな、花のような、存在として、詩が私自体に言葉を含ませて、目は、空を見たり森を見たり窓を見たりしている。眼球面に従って、どんどんと文字が印字されていく。それを高速で私が追っていく。きれいな紙に書かれてあった言葉を、私が書いた言葉にトレースしていく。私は、詩を、書いた。同時に、既に、これから。

在り様、もしくは表象。言葉だけが、私に、最後に、最後まで、見えている。聞こえている。は。

敬虔という落とし込みにつきまとう詩篇の崇高化について、ある種の価値を認めるとするならば、ただちに、そして静かに、私は本を置く。やがて深く座り、言葉が、そしてかなりの確率で固有名詞が、多重鎧化し、当初の敬虔や崇高を置き去りにして、私の目の前に詩が走り始める。情報が束ね直されたわけだが、なぜそこに崇高さの残滓が濃厚なのかの説明は、困難を極める。確率の問題になってしまうが、固有名詞がそこに働いているのも一つだろう。

ここまで来れば言葉遊びまであと一歩だ。いや、充分に詩は言葉遊びの域まで達している。

実は、いわゆるただ事歌のような詩篇でも、同じメカニズムが詩を支えていることは、何度も強調しておきたい。敬虔だけが価値づけられ、あるいはこのようなメカニズムに駆動さえされずに、その敬虔の詩を高く評価する昨今だ。恥を知るとよい。言葉の多重鎧化すらない、みっともなさだけが支えとなる。私は生きていると言う。言っているだけなのに、皆で合唱が始まる。地獄だ。この奉唱は遠く何度も繰り返されてきた。ほぼ性夢だ。

言葉は、遊びにおいて詩であり始める。どの角度から考えてもこれは動かない。そして、たとえば敬虔に基づいた崇高は、実際にはそもそも敬虔すら配合されていない可能性が、かなり高い。その可能性が高ければ高いほど、私は安心して詩が楽しい。美しい。

指先が誤って文字をたたき出す。指に挟んだ頁の行に残された文字が紙に置き去りにされる。知識がそれぞれの文字の隣を物色する。そこに上手くゆけば誤用が発生する。慌ててまた指先がミスタッチを繰り返す。指が頁から外れてしまう。最初から頁を繰り出す。誤用そのものを見失う。挙句は最初の文字をそこで初めて見る。私が、そこに、保たれている。その理由がほしくなる。私が、文字として、そこに立っている。そのようなわけにはいかないと言い聞かせても手遅れだろう。私は、ただ、文字、だけの、眼球、に過ぎない。キマっている。崇高さが私を包む。

9.5

言葉は基本的には孤立し得ず、連鎖や多層の結節点以外ではあり得ないわけだが、同時に忘却や見失いが常時多発し続けている瞬間瞬間でもある。連絡やイメージの齟齬がそれに近い。というか、そうでない言葉の現象は、実はかなり希有だと言わなければならないはずだ。存在しないと言ってもいい。

忘却について考えよう。まず、忘却に意図は介在しない。意図は遠く遅れて思いつく表象のトレースに過ぎない。私は、忘れないことが、不可能であり続けている。通常、それは適度であり、忘却を忘れ始めると、一切の言葉を発せなくなる。適度がいい。何でも。

そして、言葉が忘却で膨らみ過ぎた場合、私は伝達を恐れ、避けるようになる。安心安全が見こせないからだ。まるで、そんなことはあり得ないのに、言葉が孤立しているように、眼球を縛りつける。もちろん、次の一手も繰り出せない。絶対自由の亜空間に静かに座っている。そこで、こういうことが起こる。無作為に言葉が思い出され始めるのだ。すっかり思い出ポケットに入り込んだ私は、一つ果てのない自由の中で、言葉をどんどん繰り出すことをしてゆく。当然これは、自動筆記、などという作り事ではない。私は確かに、書いて、いる。

　ところが、これらのことは、決して、私が行っていることではないのかもしれない。私そのものも、単なる結節点の一つに過ぎず、言葉そのものが忘却と連絡を無限に孕み続けている。私は確かに、書いて、いる。しかもこのことが動かない。その一行を書くのに、何が必要であったのか。全てだ。その一行を書くのに、何が忘れ去られたか。全てだ。ただ、いずれにしても、それは、何も書かれなかった、という位置からは気の遠くなるほどの距離を保っている。

　そこで、私は、起源について考える。起源について考えるのだ。言葉がつど忘却したものを拾い集めようとする。つまり、詩を読むとは、こういうことだ。たったこれだけのことだ。むろん起源などは愚かな幻想だが、幻想だけが私を結節点から救ってくれる。ただし、無いものは無い。救いは永久に訪れない。次の詩行への移行が、こうして始まる。とうとう最後には、私以外の私が、勝手な振る舞いに耽る。皆、誰かを信じていたい。つまらないことだが、ある意味、仕方がないのかもしれない。

9.11

もはや万策尽きた。これはのっけからの印象だった。次善は水以下のように流れていくだろう。にもかかわらず、詩は、今も、記録されていく。知ったことではない。ではないが、悪いことばかりでもない。私にも、詩を書く位相が、無限に重ねられているのではないか。

既に見棄てられた詩集を拾い集めることに、今戻りつつある。もちろん、一度見棄てられたものは、爾後も見棄てられたままだ。見棄てる、というのはそういうことだ。そして、詩は、見棄てられたとき、ようやくにして、詩であり始める。詩であり終える。完璧な詩だ。

一度は書かれなければならない。その一度は、むろん気が遠くなるほど繰り返されてきたはずだ。それから、書かれなかったよりも酷薄に忘却されていく。忘却されていない詩は、書かれてさえいないもの未満で恥じらい続けていたらいい。要は、私は、誰も信用していない。

にもかかわらず、私が、詩を、読む。私の読んでいるものは、いったい何なのだろうか。私が、詩を、書く。私は詩を書いているのだろうか。遠い地を旅し、風を感じ、詩を書くほど、私は落ちぶれてはいないが、それでも、私は誰からも許されているわけではない。愚昧の底で、それなりに心地よい。

誰であれ、詩を、趣味以上のものと崇めることを、今度は私が許すはずがない。公衆トイレの落書きほどの価値すら、詩には、ない。そのことを、一周まわって誇らしく思える自分でいたい。詩によって、人の心が動くのではない。詩によって、人は心を捏造するのだ。なんて素晴らしいことなんだ。人に心など存在しない。言葉だけが存在している。私など存在しない。言葉だけが存在している。ここに、ここにこそ、詩の揺り籠が、棺桶が、あり得る。

その後に、私は、私の心を、あなたの心を、慈しむ。人を慈しむ。人を慈しむにたるものと思う。

12.5

広い裾野は靄を張りつめて、ただすべてがどこともなく刷いている。ちょうど気温があっと斜交いに冷えていく頃合いであったため、樹々や草野の緑はふるえるように、しかしたしかに静止している。鳥が啄むのだ。チチと啼き、ただそれだけとして。背もたれに首をすべらせ、手のひらで頸椎に温みを、やがて眼への血流もほどけていく。もう一度、鳥は訪れない。背から背を離し、今度は両の掌で顔を、眼のあたりを、深く覆い、音だけにゆだねる。降っているものは、雨以外には、降っていない。いつからか、地面が濡れている、ぽすぽすという、す、は、っ、に近く、耳ごとに水球面がたわみ、はじけている。面には、緑、窓のはね返し、それらの翳、だけが映り込み、やがて見えなくなる。盤面から肘を上げると、気圧にゆるめられた音が、樹として、遣り水のように細密に広がっていき、こんなにも詳細な隘路に。隠れるようにチチと啼いていた。それから。窓をあけると、何もない。もう一度腰掛け、ざっと沈み、額から血が引けていく。潮騒。子どもたちの声がする。水をはねて、あるいは水面に空が、鳥たちのように騒ぐ。おもしろいのか、何度も、何度も繰り返し、雨後の筍という言い草を浮かべる。

少しすると、陽が水気を展ばし始め、広い裾野への窓枠が、靄をふたたび張りつめ、すべてが刷かれている。

/1000

詩については、人は沈黙しなければならない

著者：
高塚謙太郎

発行：
2023年6月9日

発行者：
知念明子

発行所：
七月堂
154-0021 東京都世田谷区豪徳寺1-2-7
Tel: 03-6804-4788
Fax: 03-6804-4787

装幀・組版：
川島雄太郎

印刷・製本：
モリモト印刷

ISBN978-4-87944-520-9 C0095 ¥1700E